GiRASSOL

Felpo Filva

EVA FURNARI

ESTA OBRA GANHOU OS SEGUINTES PRÊMIOS:

- PRÊMIO JABUTI DE MELHOR LIVRO INFANTIL, CBL 2007
- PRÊMIO ALTAMENTE RECOMENDÁVEL, FNLIJ 2007
- PRÊMIO O MELHOR PARA CRIANÇA, "HORS CONCOURS", FNLIJ 2007

30ª impressão

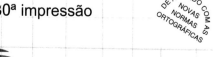

DE ACORDO COM AS NOVAS NORMAS ORTOGRÁFICAS

MODERNA

© Eva Furnari 2006

COORDENAÇÃO EDITORIAL Maristela Petrili de Almeida Leite
EDIÇÃO DE TEXTO Erika Alonso
EDIÇÃO DE ARTE Ricardo Postacchini
ILUSTRAÇÕES Eva Furnari
PROJETO GRÁFICO E DIAGRAMAÇÃO Claudia Furnari
COORDENAÇÃO DE PRODUÇÃO GRÁFICA André Monteiro, Maria de Lourdes Rodrigues
CONSULTORIA EM GÊNEROS LITERÁRIOS Márcia Lígia Guidin
COORDENAÇÃO DE REVISÃO Estevam Vieira Lédo Jr.
REVISÃO Elaine Cristina del Nero
SCANNER E TRATAMENTO DE IMAGENS Angelo Greco Fotolito
SAÍDA DE FILMES Helio P. de Souza Filho, Marcio H. Kamoto
COORDENAÇÃO DE PRODUÇÃO INDUSTRIAL Wilson Aparecido Troque
IMPRESSÃO E ACABAMENTO Ricargraf

Dados Internacionais de Catalogação na Publicação (CIP)
(Câmara Brasileira do Livro, SP, Brasil)

Furnari, Eva
    Felpo Filva / Eva Furnari, ilustrações da
autora. — 1. ed. — São Paulo : Moderna, 2006. – (Coleção girassol)

    1. Literatura infantojuvenil I. Título.

06-4280   CDD-028.5

Índices para catálogo sistemático:
1. Literatura infantil 028.5
2. Literatura infantojuvenil 028.5

ISBN 85-16-05182-X

EDITORA MODERNA LTDA.
Rua Padre Adelino, 758 - Belenzinho
São Paulo - SP - Brasil - CEP 03303-904
Vendas e Atendimento: Tel. (0_ _11) 2790-1300
Fax (0_ _11) 2790-1501
www.modernaliteratura.com.br
2014

Impresso no Brasil

Esta história é dedicada a
todos aqueles que têm
orelhas diferentes.

Na Toca 88, da Rua Despinhos, na cidade de Rapidópolis, morava um coelho solitário. Ele não recebia visitas, não tinha amigos, nunca queria saber de conversa com ninguém.

Os vizinhos já estavam acostumados, diziam que ele vivia no mundo da lua, que era distraído e desligado, e que tudo isso se podia entender, pois ele era um poeta.

Ele era o famoso poeta e escritor Felpo Filva.

Felpo era assim solitário desde os tempos de criança, quando os coleguinhas da escola zombavam dele porque ele tinha uma orelha mais curta que a outra.

Essa diferença sempre foi um grande problema, e a situação piorou ainda mais quando resolveram que Felpo deveria usar um aparelho para esticar a orelha curta.

O aparelho se chamava Sticorelia. Era grande, pesado e difícil de usar. O pior de tudo foi que de nada adiantou tanto sacrifício. Ninguém entendeu por quê, mas o aparelho, que funcionava tão bem com os outros filhotes, não deu resultado com o Felpo. Ele continuou com uma orelha mais curta que a outra.

Um certo dia, quando Felpo já era um poeta famoso, tomou uma decisão: ele iria contar para todos a triste história de sua vida. Iria escrever a sua autobiografia.

O coelho poeta pegou uma xícara de café, sentou-se diante da máquina de escrever e começou:

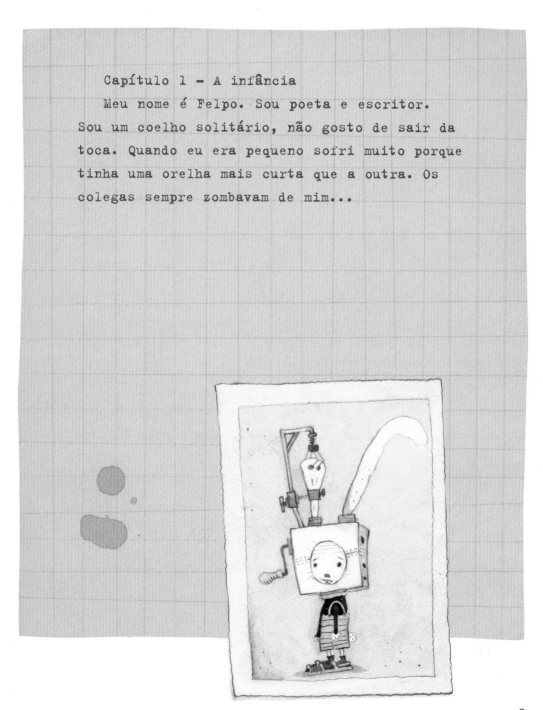

```
    Capítulo 1 - A infância
    Meu nome é Felpo. Sou poeta e escritor.
Sou um coelho solitário, não gosto de sair da
toca. Quando eu era pequeno sofri muito porque
tinha uma orelha mais curta que a outra. Os
colegas sempre zombavam de mim...
```

Felpo lembrou-se de um papel velho, que estava guardado na gaveta já há muito tempo, e colocou-o em cima da escrivaninha, ao lado da máquina de escrever. Era o manual do Sticorelia. Aquilo o fazia lembrar da sua infância.

Sticorelia Rabite Perfection

Manual de uso

APRESENTAÇÃO

O <u>STICORELIA RABITE PERFECTION</u> deve ser utilizado por filhotes de coelho que sofrem de desvio de simetria auricular. O aparelho tem por objetivo esticar a orelha menor durante o crescimento do filhote. Deve ser usado por, no mínimo, 5 anos.

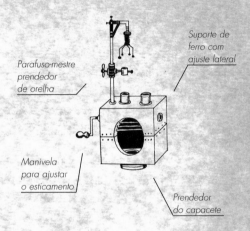

Parafuso-mestre prendedor de orelha

Suporte de ferro com ajuste lateral

Manivela para ajustar o esticamento

Prendedor do capacete

USO DO APARELHO

O usuário não deve tirar o aparelho para dormir.
Ao tomar banho com o aparelho, deve-se, depois, secar muito bem as orelhas com *Cotonetes Rabite Perfection**, para não dar aguorelite.

AVISOS DE SEGURANÇA

Recomenda-se que o usuário do aparelho não jogue futebol nem brinque de pega-pega ou esconde-esconde, sob o risco de machucar os coleguinhas.

* Os *Cotonetes Rabite Perfection*, agora com bulbos envolvidos em algodão *extra-shups* e *ultraflof*, vêm nos modelos duro e flexível, em diversas cores, espessuras e comprimentos.

ASSISTÊNCIA TÉCNICA

Caso o aparelho apresente defeito, entre em contato com o SAC – Serviço de Atendimento aos Coelhos.

Neste momento, seus pensamentos foram interrompidos pela campainha. Era o carteiro trazendo uma pilha enorme de cartas. O poeta sempre recebia muitas, mas nunca lia nenhuma. Nem as abria. Elas iam todas fechadas direto para o fundo do baú.

Neste dia, porém, Felpo viu um envelope diferente, grande, lilás, amarrado com um laço de fita de cetim. Aquilo chamou a sua atenção. Curioso, ele o abriu e leu:

Rapidópolis, 20 de fevereiro

Prezado Senhor Felpo Filva

Meu nome é Charlô e admiro demais o seu talento e os seus poemas, mas, se me permite, tem algunzinhos deles que eu não gosto nem um pouco. Sinceramente, eu discordei da história do poema da Princesa do avesso! Cruz credo, que final pavoroso! Veja só:

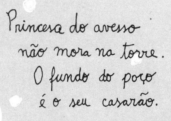

> Princesa do avesso
> não mora na torre.
> O fundo do poço
> é o seu casarão.
>
> Não joga suas tranças,
> espera uma corda
> de um príncipe jovem,
> formoso e bobão.
>
> Chegado o momento,
> a moça do avesso
> o traz para baixo
> com um leve puxão.
>
> No fundo do poço,
> com frio e com fome,
> os dois infelizes
> pra sempre serão.

Desculpe, senhor poeta, mas essa sua história é muito pessimista! Odiei esse final triste e dramático. Veja, eu fiz a continuação e mudei o destino dos pobres coitados,

Um dia, porém,
a história mudou:
Ninguém sabe como,
nem qual a razão.

Do fundo do poço,
saíram cansados
de tanta tristeza
de tanta prisão.

Pegaram suas tralhas,
suas coisas, seus filhos.
Saíram voando
num baita avião.

Não foram pra torre.
Não foram pra Lua.
Ficaram na Terra
com seus pés no chão.

Compraram uma casa
numa linda praia.
Viveram pra sempre
de short ou calção.

O senhor gostou? Com certeza
eles serão mais felizes assim, não?
Espero que o senhor não se ofenda com isso.
Um abraço cordial
Charlô Paspartu

Quando Felpo acabou de ler, sua orelha direita (a mais curta) começou a tremer. Toda vez que ele ficava nervoso a orelha tremia descontrolada. Infelizmente, além do encurtamento, ele sofria de orelite tremulosa.

A carta tinha deixado Felpo bem nervoso. Um coelho famoso como ele não estava acostumado com pessoas que diziam assim, com todas as letras, não gostei do seu poema.

Quem era aquela Charlô, que tinha a coragem de falar com ele daquele jeito? E ainda mais mudar o fim da sua história? Felpo não ia nem responder a tamanho atrevimento! Amassou a carta e a jogou fora.

A carta foi para o lixo, mas o assunto não. Felpo não conseguia esquecer as palavras de Charlô. Será que ela tinha razão? Será que ele era tão pessimista assim?

Pensou nos títulos de seus livros: *A cenoura murcha, A horta por trás das grades, De olhos vermelhos, Um pé-de-coelho azarado, Infeliz Páscoa.*

Ficou cheio de dúvidas, preocupado. Pegou a carta do lixo, desamassou, leu e releu umas quinze vezes. Pensando bem, aquela sinceridade dela até que era bacana. A gente confia mais nas pessoas que falam a verdade. Guardou a carta amarrotada na gaveta da escrivaninha.

Felpo levou um bom tempo para esquecer o assunto e, quando conseguiu, chegou mais um envelope lilás. Ele leu a carta.

Rapidópolis, 3 de maio

Prezado poeta

Como o senhor não me respondeu, estou escrevendo novamente.
Sabe aquele seu poema, o do Passarinho na gaiola?
Sinceramente, achei que nesse aí falta um pouco de
liberdade, de alegria, de imaginação! Veja, vou
tentar lhe explicar a minha ideia. O seu poema
é assim:

> Uma xícara tem asa
> passarinho também.
>
> Uma xícara tem sorte
> passarinho não tem.

> Uma casa tem canto
> passarinho também.
>
> Uma casa tem planta
> passarinho não tem.

> O avião tem bico
> passarinho também.
>
> O avião tem o céu
> passarinho não tem.

Eu tomei a liberdade de reescrever o seu poema soltando o passarinho. E ele ficou deste jeito:

PASSARINHO SEM GAIOLA

O cachorro tem osso
passarinho também.

A janela tem grade
passarinho não tem.

A cadeira tem pernas
passarinho também.

Uma lebre tem dentes
passarinho não tem.

Frigideira tem ovos
passarinho também.

Uma toca tem dono
passarinho não tem.

O senhor não acha que ficou mais interessante?
Que o passarinho ficou bem mais solto e feliz?
Um abraço
Charlô

P.S. Quem planta ovo colhe passarinho.

Quem planta ovo colhe passarinho? Aquela Charlô era maluca! Ela tinha tido a ousadia de re-escrever o seu poema e ainda dizer que ele não tinha imaginação!!! Agora ela tinha exagerado! Felpo não achou graça. Ficou indignado, indignadíssimo e respondeu na mesma hora:

```
     Charlô


     Você está redondamente
enganada a meu respeito.
Eu tenho muita imaginação,
você nem desconfia quanta.
Olha só como é que eu
imagino você:
     Barriga estufada,
orelhas peludas, nariz
de batata, bigode caído.


     Felpo Filva, um poeta
cheio de imaginação.


     Rapidópolis, 5/5
```

Assim que acabou de escrever, Felpo saiu e pôs a carta no correio. Voltou para casa todo satisfeito. Tinha dado uma resposta merecida para aquela coelha atrevida!

Meia hora depois, porém, a sua orelha direita tremulou. Ele estava cheio de dúvidas. Será que devia ter respondido daquele jeito? Leu de novo a versão dela para o poema do passarinho. Hum, o resultado não estava tão mal assim... Ele tinha que admitir que a Charlô possuía um certo talento para escrever e que tinha até um certo senso de humor, era divertida.

Será que ela escrevia os seus próprios poemas? E qual seria a opinião dela sobre o seu último livro, *O ovo chocado*?

Felpo passou dias e dias se fazendo perguntas, mas não soube responder nem uma sequer. Até que depois de uma semana chegou um telegrama.

12/05

RAPIDóPOLIS

POETA VG SE VOCê ACHA QUE SOU ASSIM VG VENHA CONFERIR PT VENHA TOMAR CHá COM BOLO DE CENOURA AQUI NA MINHA TOCA PT VOCê PODE MARCAR O DIA PT PIOR CEGO é AQUELE QUE NãO QUER VER A SUA PRóPRIA IMAGINAÇãO PT CHARLô

Diante daquele convite ousado, a orelha direita de Felpo recomeçou a tremer. Ele ficou muito nervoso. Não sabia o que era pior: sair da toca, dizer a ela que tinha gostado de seus poemas, tomar chá com uma desconhecida ou comer bolo de cenoura, que ele detestava.

Felpo não sabia o que fazer. Ficou tão confuso que teve uma crise de orelite tremulosa aguda, agudíssima.

Pegou a caixa de remédios, onde tinha todo o tipo de coisa para orelite. Procurou um vidro de Destremil, um xarope para orelhas descontroladas. Leu a bula três vezes. Ele tinha pavor de efeitos colaterais. Felpo tomou duas colheradas do xarope e foi se deitar.

DESTREMIL

APRESENTAÇÃO

Xarope suspensão - vidro com 200 ml
PARA USO ADULTO
AGITE ANTES DE USAR

COMPOSIÇÃO

Cada 15 ml contém:

veículo q.s.p.	14,5 ml
desmiclotina	0,3 ml
tremendil	0,1 ml
mipropilenoglicol	0,1 ml

INFORMAÇÕES AO PACIENTE

Destremil é um produto para ser tomado via oral em caso de orelite tremulosa de origem nervosa. Esta medicação não cura a orelite, ela apenas controla os tremores. O paciente deve procurar outros tipos de tratamento para curar a doença.

INDICAÇÕES

O produto é indicado para o alívio dos sintomas de orelite tremulosa simplex ou complicadex.

CONTRAINDICAÇÕES

Se, ao ingerir a medicação, o paciente ficar verde ou tiver uma coceira insuportável no nariz, quer dizer que ele tem alergia. Nesse caso, a medicação deve ser suspensa imediatamente.

PRECAUÇÕES E ADVERTÊNCIAS

Destremil não deve ser tomado em caso de otite infecciosa gripulenta, pois pode ocultar os sintomas.
Não deve ser usado durante a gravidez.

POSOLOGIA

Em caso de orelite tremulosa simplex, tomar uma colher de sopa.
Em caso de orelite tremulosa complicadex, tomar duas colheres de sopa.

SUPERDOSAGEM

Em caso de superdosagem, recomenda-se que o paciente deixe de ser besta e nunca mais faça isso.

TODO MEDICAMENTO DEVE SER MANTIDO LONGE DO ALCANCE DOS FILHOTES.

LABORATÓRIOS INTOX

Farmacêutico Responsável: Beto Caroteno - Registro nº 49866
Para nº do lote, data de fabricação e vencimento ver embalagem.

No dia seguinte, Felpo já estava bem mais calmo e a sua crise, quase controlada. Quando criou coragem, pegou uma folha de papel e escreveu:

Charlô

Gostei muito da sua sinceridade. Eu também quero ser sincero como você e é por isso que vou lhe dizer logo que tenho muitos defeitos (grandes e enormes). Para explicá-los, vou contar uma fábula:

O COELHO E A TARTARUGA

Certo dia, disse o coelho à tartaruga: "Tenho pena de você, que tem que levar a casa às costas e não pode passear, brincar ou correr dos inimigos."

A tartaruga, ao ouvir tais palavras, pensou um pouco e a seguir respondeu: "Coelho, eu sou lenta e pesada, é verdade. Você é leve e ligeiro, não nego. Mas pode guardar para si toda essa sua compaixão. Apostemos uma corrida e vejamos quem chega primeiro, você ou eu."

O coelho achou muita graça na aposta e aceitou na mesma hora. Combinaram o local da largada e da chegada.

Assim que a corrida começou, a tartaruga se pôs a caminho. O coelho, vendo como ela andava lerda e pesada, pôs-se a rir, saltar e zombar. Enquanto isso, a tartaruga ia se adiantando com o seu passo lento.

"Olá, camarada!", disse-lhe o coelho rindo, "Não corra tanto! Não se canse assim! Olha, vou até dormir um bocadinho." E para zombar ainda

22

mais fingiu dormir e roncar. Tanto fingiu que
acabou cochilando mesmo e, ao abrir os olhos,
viu a tartaruga lá na frente, quase na linha de
chegada. O coelho saiu em disparada, mas já era
tarde. A tartaruga venceu a corrida. E o coelho,
que era tão veloz, perdeu.

MORAL DA HISTÓRIA:
Devagar se vai ao longe,
principalmente se
o colega cochilar.

Então, Charlô, eu sou lento, muito lento, faço
tudo bem devagar. Agora vou te confessar o meu
segredo, eu sou um coelho com alma de tartaruga.
Assim como elas, eu também não gosto de sair
da toca. Só vou mesmo ao correio e ao mercado.
Odeio cenouras. Minha comida preferida é bolinho de chocolate e só se for do jeito que a minha
avó fazia. E tem mais, sofro de orelite tremulosa
e tenho uma orelha mais curta que a outra.
Então, como você pode ver, é melhor eu não
aceitar o seu convite. E se um dia eu aceitar,
essa decisão pode levar muitos anos.

Adeus
Felpo
R. 16/5

Pronto. Foi difícil, mas Felpo conseguiu escrever e foi sincero. Abriu o seu coração, contou tudo, mesmo achando que depois daquela carta a Charlô não iria mais querer saber dele.

E agora que o assunto estava encerrado, ele podia voltar a escrever o seu livro.

Felpo tentou. Uma, duas, três, diversas vezes, mas não conseguiu. Seus pensamentos não se concentravam na tarefa. Só pensava na Charlô e no que ela iria pensar dele depois daquela carta.

Em vez de trabalhar no seu livro, Felpo passou dias escrevendo outras coisas: poemas, textos, frases. E, no meio disso tudo, sem querer, saiu algo bem diferente do que ele costumava criar, um conto de fadas.

UMA HISTÓRIA UM POUCO ESQUISITA

Era uma vez um príncipe diferente dos outros. Ele era um pouco feio, um pouco estranho, um pouco torto e um pouco azarado também.

Um dia, esse príncipe foi preso na torre por uma princesa horrorosa, chata, mandona e feia de doer. O coitado ficou se sentindo muito mal, pior que um sapo perdido na areia do deserto.

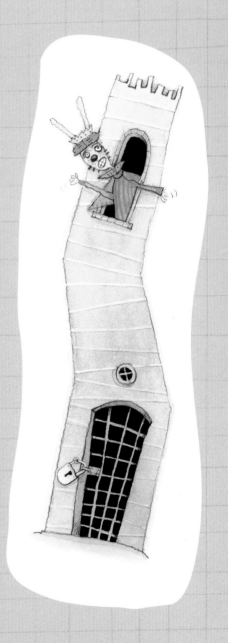

Por sorte, uma bruxa muito interessante, bonita, alegre e engraçada ficou sabendo da terrível maldade. Não perdeu tempo, montou o cavalo nas costas e correu para lá.

Chegando, gritou: "Ó príncipe amado, joga-me tuas tranças! Eu vim te salvar!"

O príncipe ficou tão feliz com a chegada dela que, sem pensar, pulou lá de cima. Caiu no cavalo, quebrou uma perna, dois dentes da frente, torceu as costelas, rasgou toda a roupa e, como se não bastasse, perdeu a peruca também. O que aconteceu com o pobre cavalo ninguém sabe.

O príncipe se arrebentou inteiro, mas a bruxa, que o amava, cuidou tão bem dele que o moço ficou bonzinho, só um pouco mais torto do que antes.

A bruxa e o príncipe mudaram para longe, para uma terra distante, bem mais bonita que aquela, e compraram um castelo antigo, lindo, que ficava no alto de uma montanha. E aí aconteceu, de verdade, o que ninguém acreditava que fosse acontecer; eles viveram juntinhos para sempre, felizes, cheios de amor.

FIM

NOTA DE RODAPÉ: Um dia, quando eles já eram velhinhos e continuavam felizes, ficaram sabendo que a princesa malvada tinha se casado com um dragão. Um dragão que sabia queimar a maldade dela com o fogo das ventas.

Felpo estava muito satisfeito com o resultado, chegando a se divertir bastante enquanto escrevia e isso era uma grande novidade. Ficou provado que ele era capaz de criar coisas engraçadas e otimistas. Deu vontade de mandar o conto para a Charlô. E, enquanto juntava coragem para enviar, chegou outra carta dela.

Rapidópolis, 23 de maio

Poeta

Fiquei muito comovida com a sua carta.

Felpo querido, eu gosto de orelhas diferentes, acho que dão um charme interessante a um coelho. Principalmente você, que é poeta, devia se orgulhar de ser assim, especial.

Foi lindo e corajoso você confessar que tem alma de tartaruga, afinal, elas são cheias de sabedoria.

Já imaginou se você fosse um coelho com alma de urubu? Lembra aquele ditado que diz: Urubu infeliz, quando cai de costas, quebra o nariz? Isso sim seria azar...

Bem, Felpo, agora admiro não só os seus poemas, mas também a sua pessoa. Quando você quiser vir tomar chá comigo será muito bem-vindo.

Adoro cozinhar e fiquei curiosa de conhecer os bolinhos de chocolate da sua avó. Você poderia me mandar a receita?

Beijos
Charlô

Felpo leu a carta. Sentiu a orelha esquerda tremendo. Fazia muito tempo que isso não acontecia. A direita tremia quando ele estava nervoso (com isso ele estava acostumado), mas a esquerda só tremelicava quando ele estava feliz e isso já era bem mais raro.

O coelho procurou um espelho. Revirou a casa toda até achar um velho, perdido no fundo de uma gaveta. Fez cara de poeta e observou-se.

Depois, passou pela cozinha, apanhou o caderno de receitas. Sentou-se na escrivaninha e escreveu:

Charlô
Estou enviando a receita da minha avó.

BOLINHOS DE CHOCOLATE
Ingredientes:
1/2 lata de leite condensado
150g de farinha láctea
100g de chocolate em pó

Modo de preparar:
    Misture o chocolate com o leite condensado e depois com a farinha láctea. Amasse com as mãos e espere um pouco para a massa endurecer. Faça bolinhas de tamanho médio. Depois, é só saborear.

Espero que você goste tanto quanto eu.
Você também escreve poemas?
Beijos
Felpo
R. 27/5

Felpo foi correndo pôr a carta no correio. Voltou feliz da vida. Meia hora depois, porém, ficou nervoso. Ele tinha se esquecido de dizer uma porção de coisas que gostaria de ter dito.

Durante a semana, ele fez uma lista com os assuntos que não queria esquecer na carta seguinte:

1. Agradecer o convite e explicar, outra vez, que vou levar mais de um ano para, TALVEZ, aceitá-lo.

2. Mandar UMA HISTÓRIA UM POUCO ESQUISITA.

3. Pedir para ela mandar um retrato.

4. Perguntar se ela coleciona provérbios.

5. Perguntar se ela tem namorado.

Diariamente, ele conferia se tinha algum envelope lilás.

Finalmente, num dia de muita chuva, chegou um cartão--postal todo encharcado.

Ao ler aquelas terríveis palavras, Felpo não pensou em nada. Olhou o endereço da toca de Charlô e saiu correndo, sem capa e sem guarda-chuva. A sorte era que ela não morava muito longe dali.

Correu o mais que pôde. Imaginou que ela devia estar muito engasgada, passando mal, precisando urgentemente da sua ajuda. Ele, Felpo Ruan Rolhas Filva, o poeta, estava lá para salvá-la de um trágico fim!

Chegou como um furacão, entrou sem bater, quase derrubando a porta. Estava enlameado, imundo e sem fôlego, de chinelo e bermuda velha. Atropelou uma cadeira e se estatelou esparramado aos pés dela, que estava sentada no sofá. Lá de baixo, do chão, ele olhou para cima.

— Charlô?

— Felpo?

Ela estava com um creme verde nas axilas e nas canelas e um creme cinza nas sobrancelhas e nas orelhas. Charlô estava tingindo os pelos e fazendo depilação. Vestia uma camiseta furada, suja de tinta.

Ela correu para esconder-se atrás do sofá. Felpo iria achar que ela era uma coelha horrorosa, relaxada e mal-vestida e ficaria sabendo que ela tingia os pelos e depilava as canelas. Gritou de lá de trás:

— Felpo, você veio sem avisar?

— Hã... Recebi um postal seu pedindo socorro... Você não engoliu um piano? Vim... salvá-la... ...Veja, está escrito aqui...

Felpo esticou-lhe o cartão molhado e ela o apanhou. Depois de um certo silêncio, a Charlô teve um acesso de riso tão forte que não conseguia se conter. Esquecendo-se dos cremes, saiu de trás do sofá.

Felpo ficou pálido. Havia algo errado. Ela *não* tinha engolido um piano! E ele tinha entrado na casa dela como um louco insano. Ela devia pensar que ele era maluco. Crise total, a orelha direita tremia. Preparou-se para fugir, mas a Charlô não deixou. Agarrou-o pelo braço, tirou o aparelho de dentes na frente dele mesmo e explicou, com lágrimas nos olhos de tanto rir, que a água da chuva tinha borrado algumas palavras e a mensagem tinha ficado completamente diferente da original, que dizia:

*"Espero que você **venha** tomar chá comigo e que seja **logo**. Fiz a receita da sua avó e adorei! Praticamente **engoli** os bolinhos de chocolate de uma vez só.*

*Eu escrevo poemas, mas só de vez em quando. Na verdade toco **piano** e componho canções. E se algum dia você vier tomar chá comigo, espero que possa me **ajudar** a escrever versos para as minhas melodias."*

Felpo Filva, ao ouvir aquilo, também teve um acesso de riso. Ficaram os dois gargalhando por um bom tempo, contorcendo-se de tanto rir.

Neste dia, não teve nem chá nem bolinho, mas no dia seguinte teve. Ele veio todo arrumado e perfumado, e ela, então, estava chique, chiquérrima.

O poeta saiu da toca diversas vezes para visitar a Charlô.

Depois de muitos chás, muitos bolinhos de chocolate e muitos poemas, ele começou a se sentir em casa na toca dela.

Um dia, juntaram os seus talentos e fizeram uma canção.

Num outro dia, Felpo levou de presente para a Charlô um conto que tinha sido escrito especialmente para ela: *Dois coelhos numa só caixa-d'água*.

Quando a Charlô acabou de ler estava emocionada, com lágrimas nos olhos. Ela deu um beijo em Felpo e o pediu em casamento. Na hora ele desmaiou e teve uma crise de orelite tremulosa pavorosa na orelha esquerda, de tanta felicidade.

Depois da crise, ele se deu em casamento para a Charlô, com muito amor.

FIM

P.S.*

— A história acabou?

— Acabou. O que tem nas próximas páginas são só uns comentários.

— Fofoca sobre os personagens?

— Seria bom se fosse, mas não é. É um comentário sobre os tipos de texto da história.

— E pra que isso?

— Não sei, não fui eu que inventei.

— E o que a gente tá fazendo aqui, então?

— Sei lá. Me mandaram vir pra cá falar isso, eu vim.

*P.S.

P.S. vem da palavra *postscriptum*, que em latim significa *após o que foi escrito*. Então P.S. é abreviação de uma palavra antiga que é usada para indicar algo que se escreveu depois de terminar uma carta.

— Ah, o P.S. é algo que se escreve depois que a carta acabou?

— Parece que é.

— Mas então esse nome está errado, porque a história do livro não é uma carta...

— Isso é verdade.

— Ouvi dizer que essa parte ia chamar meiquinhofe.

— Meiquinhofe? O que é isso?

— Não sei não. Parece sobrenome de personagem russo, Ivanoviche Meiquinhofe.

— Eu estou achando que parece mais aquele prato de comida. Meiquinhofe com arroz e batata frita.

OS COMENTARISTAS

40

— Quando eu crescer vou escrever
uma chatobiografia, a história de um chato.

— E eu vou escrever um mentirografia,
uma história cheia de mentiras.

— E eu vou inventar um bológrafo,
que é um aparelho de escrever em bolos.

— E eu vou ter um altomóvel.

— Mas o seu altomóvel é pra andar
ou pra guardar as coisas?

— É um móvel alto que anda.

SOBRINHAS DA CHARLÔ

AUTOBIOGRAFIA

Quando alguém escreve a sua própria história, está
criando um texto que se chama autobiografia. Se a
gente dividir a palavra em partes vai descobrir que *auto*
significa *próprio*, *bio* significa *vida* e *grafia* significa *escrever*, portanto escrever sobre a própria vida.

— Tartaruga, estou preocupado com a minha fama. Depois daquela fábula fiquei muito malfalado.

— Você deveria parar de se preocupar com o que os outros vão pensar e cuidar mais do seu autodesenvolvimento.

— Autodesenvolvimento?

— Por que você não assiste à palestra que eu vou dar amanhã? Será sobre a diferença entre lentidão e preguiça. Ah, e depois do intervalo vai ter uma *performance* sensacional do bicho-preguiça!

— Hum...

O COELHO

E A TARTARUGA

FÁBULA

Fábulas são histórias que têm a intenção de ensinar algo sobre a moral e o comportamento. Muitas vezes, no final delas, encontramos uma frase que é a *moral da história*, ou seja, o resumo da lição. Seus personagens costumam ser animais que falam e se relacionam como seres humanos. Essas histórias mostram que a bondade, a honestidade, a prudência, o trabalho são qualidades que superam o egoísmo, a maldade, a inveja, a ganância.

— Conto de fada é o mesmo que conto da carrocinha.

— Vé, eu pensei que fosse conto da carochinha!

— Você ainda é muito pequeno, não sabe de nada. É conto da carrocinha, aquela que prende os cachorros...

— Coitadinhos! E quem é que vai salvá-los?

— Vai, a fada-cachorro.

— E existe fada-cachorro?

— É claro que existe, é que nem fada-coelho...

— Hum...

OUTROS SOBRINHOS

CONTO DE FADA

Os contos de fada são histórias geralmente curtas, nas quais o herói ou a heroína enfrentam grandes obstáculos antes de triunfar sobre o mal. Essas histórias envolvem seres fantásticos, magias, metamorfoses e encantamentos. Entre seus personagens estão os príncipes, as princesas, as fadas, as bruxas e os dragões.

— Eu acho que a Charlô devia ter mandado pro Felpo aquele ditado que diz "Quem não deve não treme".

— Ai, que horror! Como você é malvado!

— Eu não! Malvado é aquele ditado que diz "Mais vale um pássaro na mão do que dois voando"!

— Isso é verdade, o pessoal dos Direitos dos Pássaros devia proibir esse provérbio.

— Devia mesmo!

PASSARINHOS

PROVÉRBIO OU DITADO

Provérbio, ou ditado, é uma frase geralmente curta e não se sabe quem a inventou. Ela vai passando de boca em boca, de pai para filho e resume uma ideia, uma regra social ou um conselho popular.

— Eu não entendo por que certos passarinhos vão para a cadeia sem ter cometido crime nenhum. Você entende?

— Eu não.

— E sabe me explicar por que no poema da Charlô passarinho com osso é mais livre? Não entendi essa passagem.

— Eu também não.

OS MESMOS

POEMA

O poema é um texto em versos que tem uma musicalidade própria, criada pelo som das palavras. O ritmo é dado pelo número de sílabas dos versos, e a rima é um elemento importante da sua sonoridade. Mas nem todos os poemas são assim; existem também aqueles que não têm rimas nem cadência de sílabas, são os chamados versos livres.

Escrever um poema é uma maneira de brincar com as palavras, criando relações entre seu sentido, seu som e sua forma.

— Estou muito triste porque
o "Avesso da torre" foi cortado
do livro. É o melhor poema dele...

— Como era mesmo esse poema?

— Vou recitar:

A torre é alta,
o poço é profundo.

Da torre se cai,
no poço também.

A torre é seca,
o poço é molhado.

A torre é redonda,
o poço também.

Na torre se prende,
no poço se bebe.

Na torre se grita,
no poço também.

Na torre há tranças,
no poço há corda.

Na torre se salva,
no poço também.

— Que belezinha!

— É lindo, mesmo com rima pobre!

— Quem é a Rima mesmo?
É aquela garota orelhuda
da Toca 78?

A AVÓ DO FELPO E A SUA VIZINHA

A TIA DO FELPO

— Cá entre nós, ainda
bem que o livro não tem
som, porque a desafinação do
Felpo cantando aquela canção
das orelhas foi lamentável.
Aliás, tudo o que ele faz é
esquisito. Vocês não acham?

CANÇÃO

Uma canção é uma composição que combina uma
melodia com um poema, a letra.

A música é escrita numa partitura com uma linguagem
própria, um jeito de registrar por escrito as notas, o
ritmo e a intensidade com que deve ser tocada.

— Tem erros graves nessa história. Eu acho que o carteiro deveria ser um pombo-correio e não um coelho.

— Mas o carteiro ficou muito bem na ilustração.

— Pois eu acho que esse coelho carteiro não deveria ter ganhado uma ilustração tão grande! Tá errado. Ele não tem a menor importância na história.

— É, pode ser...

— E também acho uma bobagem essa tal de carta-padrão.

— E como é que você escreve uma carta?

— Eu começo pela despedida e escrevo o resto no P.S.

O POMBO-CORREIO E A CORUJA

CARTA

Enviar uma carta é um jeito muito antigo de se mandar uma mensagem. Ela pode ser escrita das mais variadas maneiras, mas, seja qual for o seu tipo, a carta costuma seguir um modelo tradicional. Normalmente, iniciamos com o nome da cidade e a data. Em seguida, colocamos o nome da pessoa para quem vamos escrever e, depois, o assunto da carta, que termina com uma despedida e a assinatura do remetente.

Quem entrega grande parte das cartas é a Empresa de Correios e Telégrafos, que criou algumas regras para organizar e facilitar a entrega.

TELEGRAMA

Telegrama é uma mensagem transmitida por telégrafo, que chega rapidamente ao destinatário. Antigamente, quando se queria mandar uma mensagem com urgência urgentíssima, mandava-se um telegrama, pois uma carta comum demorava muito para chegar. Ainda se mandam telegramas, e é até chique, mas, além dele, hoje existem muitas outras maneiras de se mandar uma mensagem rápida, como, por exemplo, o *e-mail*.

— Você sabe o que significa CEP?

— Não...

— Será que são Coisas Estranhas Poraí?

SOBRINHOS GÊMEOS

CARTÃO-POSTAL

O cartão-postal é um tipo de correspondência que é enviado, normalmente, sem envelope. Geralmente, é um papelão fino, e em uma das faces vai o endereço do destinatário (quem vai recebê-lo), o selo e a mensagem do remetente (quem envia). Na outra face, alguma imagem.

— Luuuuuuu, vooooooooccêêê pooooooooooodeeeeeeee deeeeeesssliiiiiigar aaaaaa tooooooooooommaaaaaaadddaaa poooooooor faaaavooooooooooooor???????

— Eu disse pra você ler o manual antes de usar essas calças térmicas, não disse? Mas você é teimoso... não quis me escutar...

MAIS SOBRINHOS

MANUAL

O manual é um folheto explicativo que acompanha uma máquina, um aparelho eletrônico, um eletrodoméstico, um jogo, um brinquedo, enfim, qualquer objeto que precisa de uma explicação para ser usado. Para ser claro, ele costuma ser dividido em partes. Muitas vezes, usam-se desenhos nos manuais, pois certas coisas são muito mais fáceis de se entender com uma imagem.

— Eu sou tímido e modesto, mas como sei que tem muita gente querendo me conhecer, vim até aqui me apresentar. Sou o Dr. Beto Caroteno. Farmacêutico responsável da Intox. Acabei de publicar a minha autobiografia, "Uma vida de injeções". Já está à venda nas melhores farmácias. Lá eu explico como foi que eu me tornei um homem de sucesso, rico, jovem, bonitão e muito bem-casado com Dra. Beta Carotena.

DR. BETO CAROTENO

BULA

A bula é um impresso que acompanha um medicamento e contém informações sobre a sua composição, maneira de usar, contraindicações, quem é o fabricante e tudo o que pode ser importante em sua utilização.

— Fiz a receita da vovó Felma.

— E deu certo?

— Na hora deu, mas depois teve um probleminha.

— Qual?

— As bolinhas grudaram no aparelho de dentes do Zuelito e ele ficou meia hora sem conseguir abrir a boca.

MAIS SOBRINHOS OUTRA VEZ

RECEITA CULINÁRIA

Uma receita culinária explica como é que se deve preparar um alimento. Ela começa com a lista de ingredientes e as quantidades a ser utilizadas. As medidas são dadas por peso, volume, unidade, tamanho ou também por dedinhos, pitadas etc. A segunda parte é o modo de preparo, em que se explica, passo a passo, como preparar a receita. Geralmente, no final dela, existe algum comentário sobre a maneira de servir o prato e a quantas pessoas serve.

Quando eu crescer, quero ser um Coelho da Páscoa. Eu já ouvi dizer que, pra ser um bom Coelho da Páscoa, não se pode entregar os ovos errados. Tem que ser direitinho, de acordo com os pedidos. Um bom Coelho da Páscoa tem muitas listras de pedidos. Eu ainda não entendi muito bem essa parte das listras de pedidos. Vou ter que perguntar pro meu pai, ou será que a zebra entende mais de listras do que ele?

O FILHO DO CARTEIRO

LISTA

A lista é uma sequência de itens que pode ter muitas finalidades: anotar nomes, lembretes, tarefas, compras, partes de um todo, enfim, uma infinidade de coisas. As listas ajudam a organização, o estudo, a comunicação, a memória.

A AUTORA

Eu adoro fazer listas. Então fiz aqui uma lista de coisinhas que gostaria de contar para os meus queridos leitores:

1. Este livro teve 82 rascunhos. De verdade.

2. Me diverti muito escrevendo esta história.

3. E também deu muito, muito, muito trabalho.

4. Muita gente da minha família ajudou.

5. Adorei a família do Felpo e da Charlô.

6. Para inventar histórias, eu sou rápida como os coelhos.

7. Mas, para ler manuais, eu sou lenta como as tartarugas.

8. Os assuntos acabaram.

9. Mas eu gosto de listas que têm nove itens.

P.P.S.

Na história do Felpo foram usados diversos tipos de texto, e nós achamos interessante falar sobre isso no P.S. ou *making of* (meiquinhofe).

Muitas vezes, um texto tem uma intenção. Por exemplo, uma carta tem a finalidade de enviar uma mensagem; uma biografia vai contar a história de uma vida; uma bula vai informar ao consumidor sobre um determinado produto. Dependendo da intenção, a maneira de escrever vai ter um jeito próprio. E é desse jeito próprio que o pessoal do P.S. deveria ter falado.

Mas como os coelhos e os passarinhos foram totalmente irresponsáveis, e não explicaram coisa nenhuma, só nos resta pedir aqui mil desculpas por esse papelão que eles fizeram.

Aproveitamos também para agradecer às pessoas que colaboraram com ideias e sugestões, Claudia, Paulo, que fez a canção, Márcia Lígia Guidin e Ângela Prado de Melo Aranha, a madrinha do Felpo.